Hijo de la Selva y del corazón

Ilustrações © Ananda Ferreira

Texto © Agustina Arias

© Editora do Brasil S.A., 2023
Todos os direitos reservados

Direção-geral	Paulo Serino de Souza
Direção editorial	Felipe Ramos Poletti
Supervisão editorial	Carla Felix Lopes
Edição	Jamila Nascimento
Assistência editorial	Marcos Vasconcelos
Auxílio editorial	Natalia Soeda
Supervisão de design	Dea Melo
Design gráfico	Ariane Adriele O. Costa
Supervisão de revisão	Elaine Cristina da Silva
Revisão	Sheila Folgueral
Supervisão de controle e planejamento editorial	Roseli Said

1ª edição / 1ª impressão, 2023
impresso na HRosa Gráfica e Editora

Editora do Brasil

Rua Conselheiro Nébias, 887
São Paulo, SP – CEP: 01203-001
Fone: +55 11 3226-0211
www.editoradobrasil.com.br

abdr
ASSOCIAÇÃO BRASILEIRA DOS DIREITOS REPROGRÁFICOS
Respeite o direito autoral

The little tailor is not strong like a giant.
But she is clever and brave.

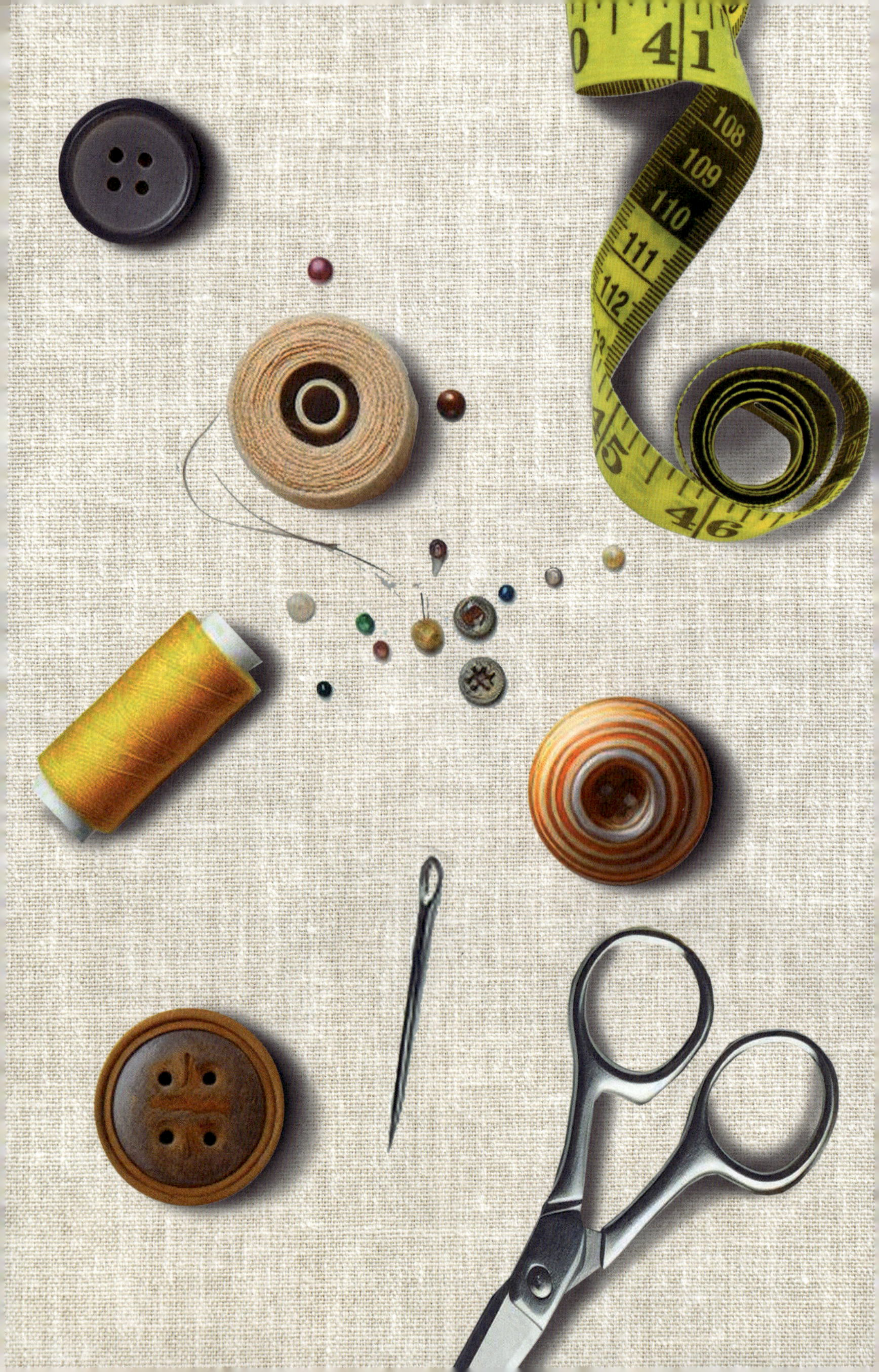
41
108
109
110
111
112
46

BRINCANDO COM ESPANHOL

Hijo de la selva y del corazón

AGUSTINA ARIAS

ILUSTRAÇÕES: ANANDA FERREIRA

Editora do Brasil — 80 anos

Una noche, el jaguar andaba entre los árboles de la selva…

Cuando fue atraído por el llanto de un bebé indígena, llamado Mitã´i.

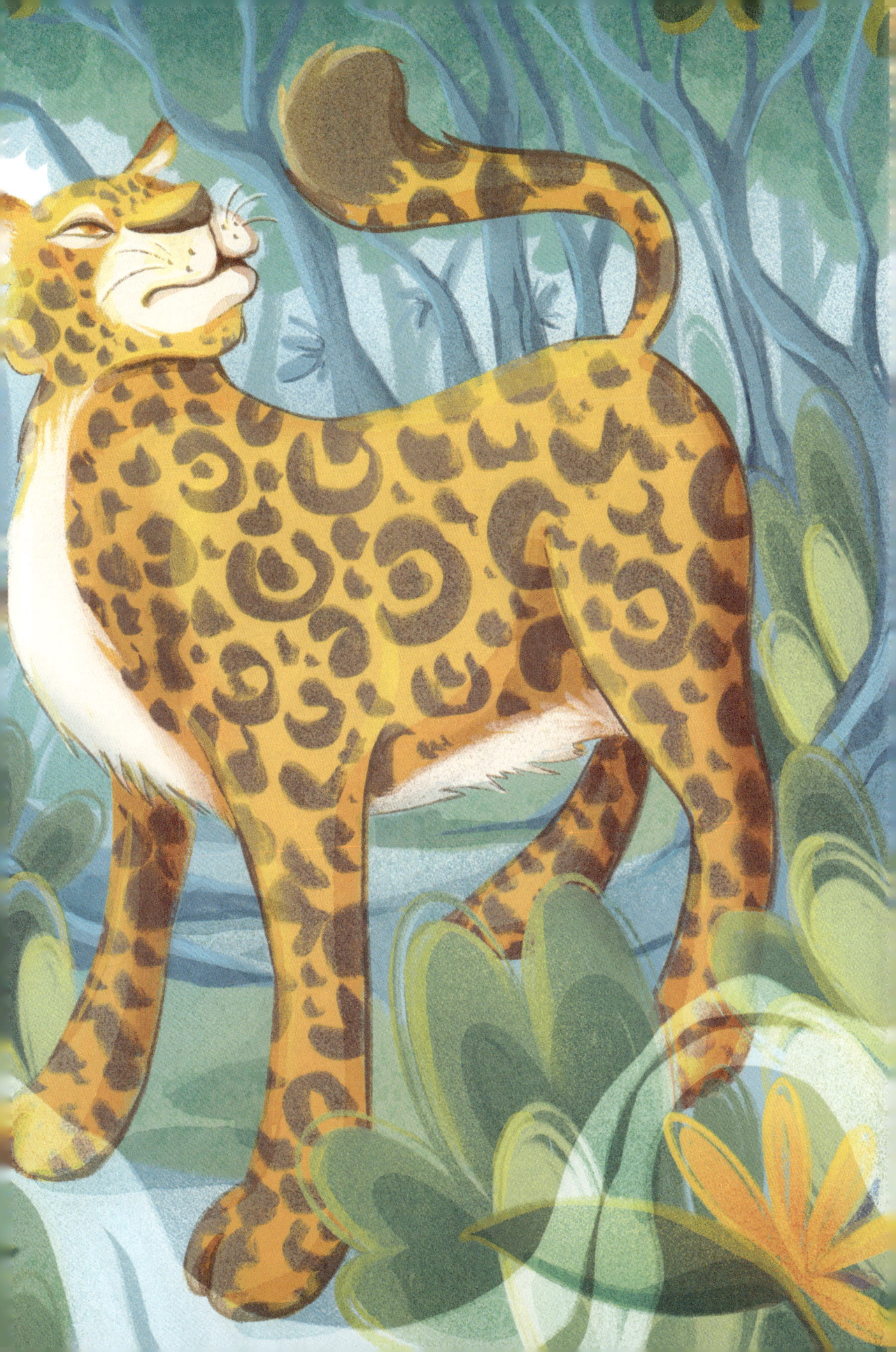

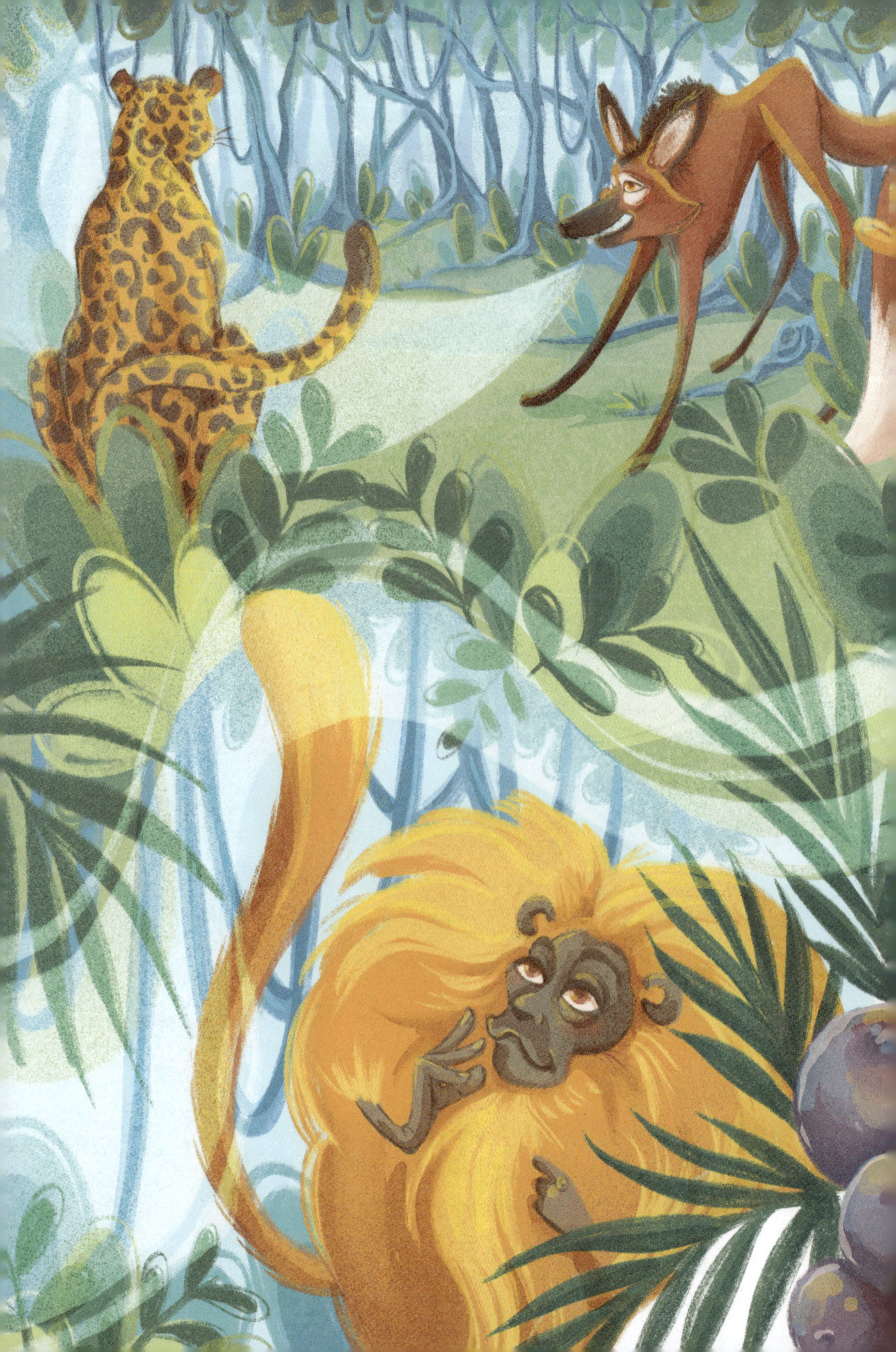

El jaguar se detuvo, con miedo, porque el padre de los lobos guará, — la raza de lobo que vive en las selvas brasileñas, paraguayas y argentinas, — le mostró los dientes y le dijo:

— ¡Este es un niño lobo guará y es nuestro!

El mono león dorado lo vio todo y pensó: "¡Nunca confíes en el jaguar, Mitã´i!"

Y el papá lobo guará llevó a Mitã´i a la cueva, junto con los lobitos y la mamá loba guará.

Pasaron los años y Mitã´i creció fuerte y valiente.

Mitã´i y su amigo, el mono león dorado, jugaban y comían bananas y otras frutas silvestres, mientras el mono león dorado le repetía:

— ¡Nunca confíes en el jaguar, pues quiere comerte!

El jaguar era enemigo de Mitã´i… pero el puma era su gran amigo y defensor.

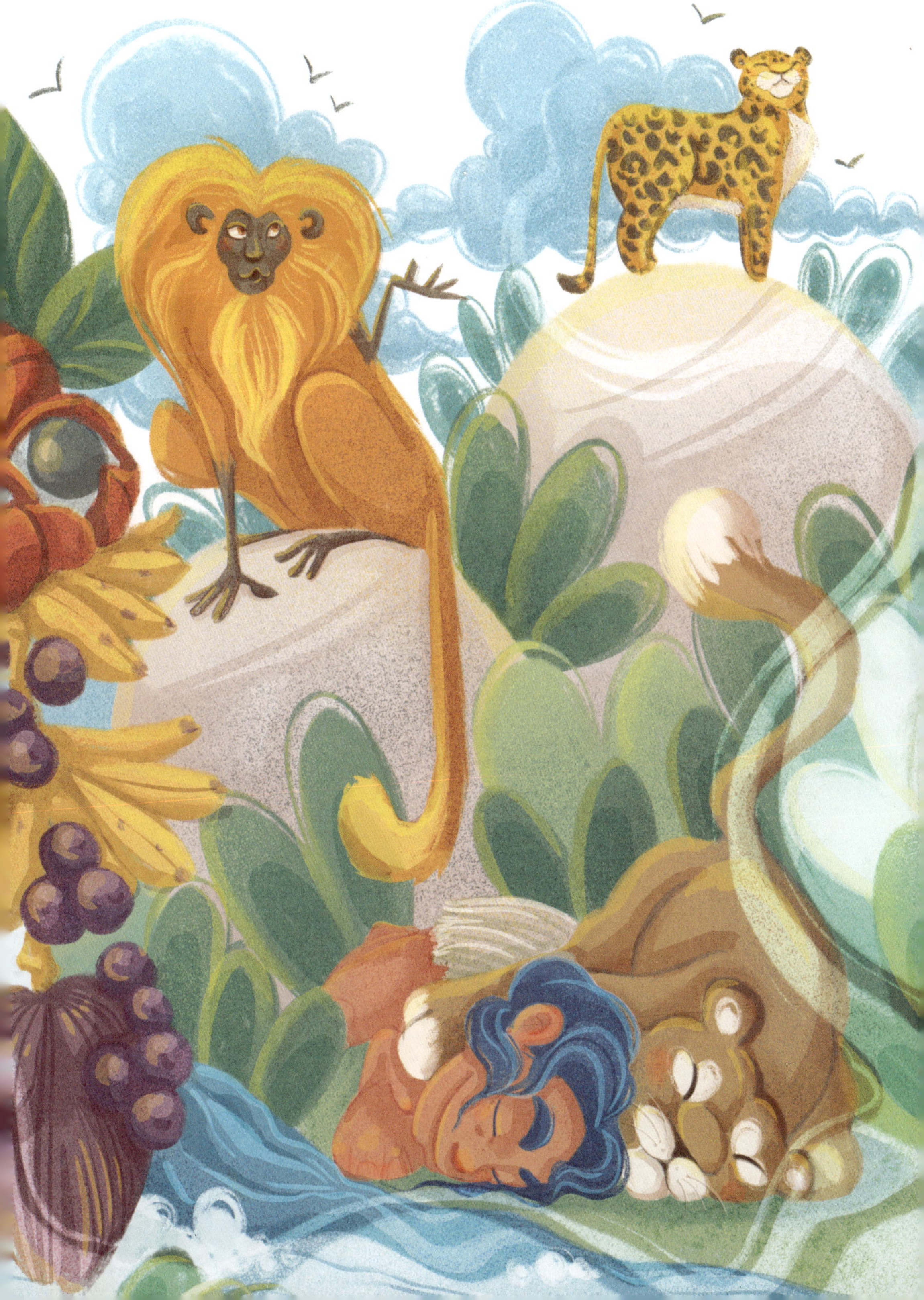

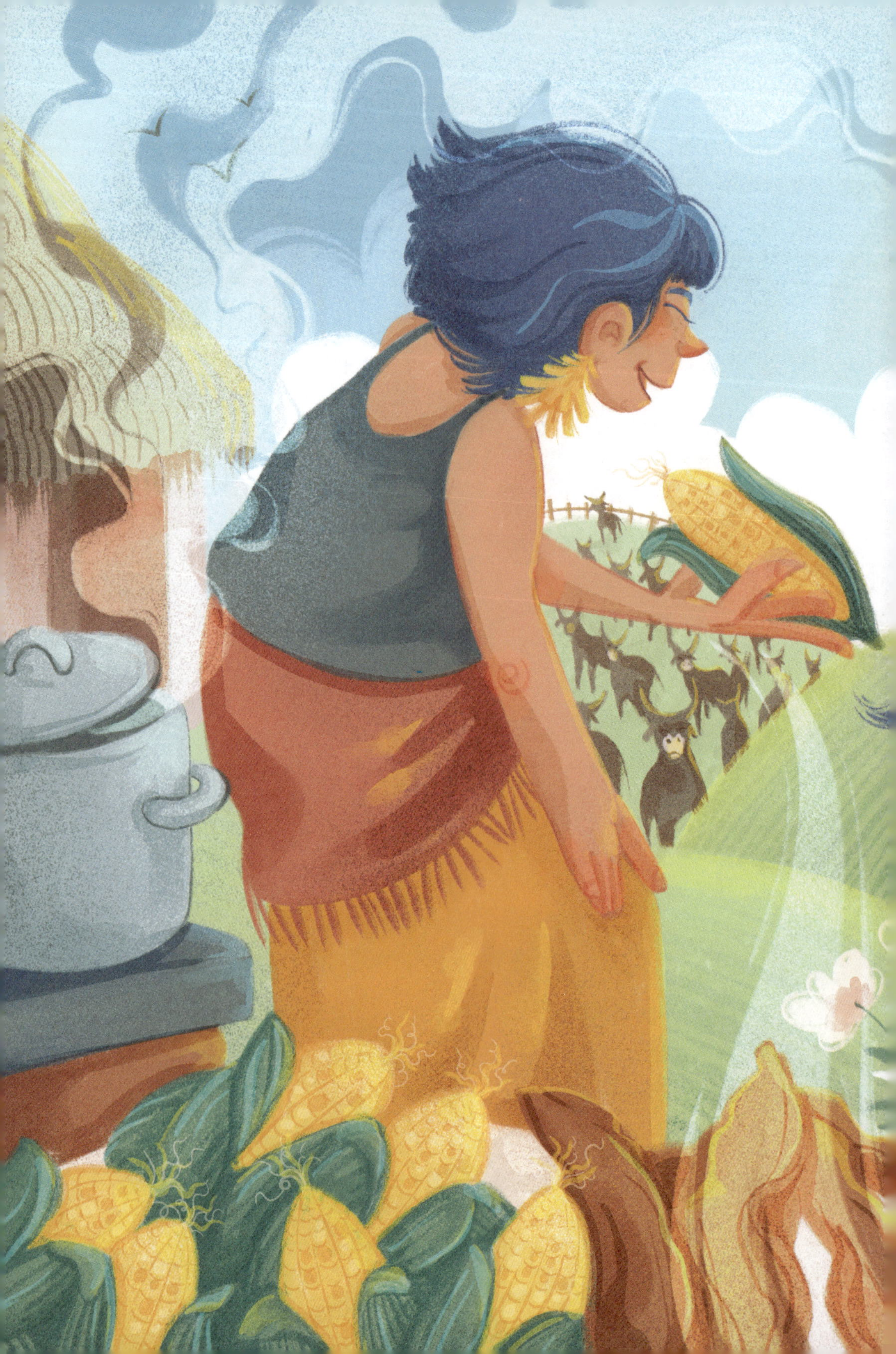

Un día, Mitã´i bajó a la aldea de los indígenas cerca de la selva y vio a una mujer que cocinaba mandioca y maíz en una gran olla.

Ella quiso ser su amiga, pero Mitã´i no sabía hablar en guaraní y salió corriendo rumbo a la selva con su amigo puma.

Mientras corrían, los toros de la aldea asustados se escaparon y siguieron a Mitã´i hacia la selva. En esta carrera loca, el jaguar que los acechaba, murió pisoteado.

Mitã´i volvió a la selva y nunca más lo vieron entre los hombres.

Desde entonces, Mitã´i vivió feliz entre los lobos guarás y con sus amigos, el puma y el mono león dorado.

Comprensión lectora

1 ¿Dónde vive el lobo guará?

_____
_____

2 ¿Por qué Mitã'i era un niño lobo guará?

_____
_____

3 ¿Adónde llevó al niño el papá lobo guará?

_____
_____

4 ¿Quiénes eran los otros amigos de Mitã'i?

_____
_____

5 ¿Qué pasó con el jaguar?

_____
_____

6 ¿Conoces los animales que aparecen en el cuento?

_____
_____